Mes Contes du Nord

Textes de Noélie Copain :

Le mystère des animaux du cercle polaire
Pourquoi les conifères restent-ils toujours verts ?
Le collier de perles d'Estella
Comment l'ours perdit sa queue
La légende du narval
Les trolls et le gros chat
L'anneau
La naissance des oiseaux
La princesse enfermée dans la montagne bleue
L'oiseau Souffleur-de-vent
Les trolls et le benjamin des lutins

Piccolia

Le mystère des animaux du cercle polaire

Il était une fois un jeune homme qui voyageait beaucoup autour du cercle polaire. Où qu'il aille, il rencontrait toujours des gens aimables qui le conviaient à dîner. Mais, étrangement, ils l'obligeaient à quitter leur maison avant la nuit.

Un jour qu'il était justement invité, il tomba amoureux d'une jeune fille qui vivait seule avec son père. Après le dîner, le jeune homme allait partir à regret quand, soudain, le maître de maison eut un malaise et s'évanouit. En dépit des protestations de la jeune fille, le garçon décida de rester pour soigner le vieil homme. Dehors, la nuit était tombée et, tout à coup, le père et sa fille se transformèrent en... rennes ! Tous ces hôtes bienveillants étaient en réalité des animaux, capables de se changer en hommes le temps d'une soirée !

Bientôt, le père fut rétabli. Pour remercier son sauveur, il prépara une fête en son honneur.
Quand le soir arriva, la jeune fille reprit une apparence humaine. Elle était si belle avec ses longs cheveux noirs ! La soirée fut magnifique, mais le jeune homme savait qu'il devait quitter ses amis avant leur transformation. Secrètement amoureuse de lui, la jolie fille tint à le raccompagner jusqu'à son village.
En chemin, elle lui avoua son amour. L'homme la prit alors dans ses bras et l'embrassa.
Les deux jeunes gens étaient si bien ensemble qu'ils ne s'aperçurent pas tout de suite qu'on les observait.
Quand, enfin, ils remarquèrent les animaux qui les entouraient, ils réalisèrent que la jeune fille ne s'était pas transformée comme elle aurait dû. Par amour, elle avait choisi de rester humaine pour toujours.
Les deux jeunes gens se marièrent et vécurent heureux auprès des animaux qu'ils aimaient.

Pourquoi les conifères restent-ils toujours verts ?

Chaque année à l'automne, les oiseaux quittent les forêts du Grand Nord pour s'abriter dans des pays chauds. La veille du grand départ, un jeune merle trépignait d'impatience car il s'apprêtait à faire son premier voyage.

Malheureusement, lors d'un vol d'entraînement, un héron le heurta de plein fouet. Le merle tomba sur le sol comme une feuille d'automne. Son aile était cassée. Il ne pouvait plus partir avec les autres et risquait de mourir de froid et de faim. Le cœur gros, il se mit à chercher un abri.

« S'il vous plaît, Monsieur le Chêne, laissez-moi faire un nid entre vos immenses branches.

- Ah non ! répondit l'arbre d'un air outré. Je ne veux pas que tu manges mes glands, ou que tu fasses un trou dans mon tronc ! »

Le bouleau qui poussait à côté ne voulut pas non plus s'encombrer d'un oiseau blessé. Et encore moins le saule rencontré un peu plus loin.

Le merle épuisé arriva dans une clairière où se tenaient trois arbres : un sapin, un pin et un genévrier.
« Où vas-tu, petit merle ? demanda le pin. Tu devrais déjà voler vers le Sud.
- Je cherche un abri pour l'hiver car, à cause de mon aile cassée, je ne peux pas voler.
- Reste auprès de nous ! proposa le pin. Construis un nid douillet dans mes branches solides.
- Je te protégerai contre le vent du Nord, assura le sapin.
- Je te donnerai mes baies pour que tu ne meures pas de faim », ajouta le genévrier.
Très heureux de trouver trois nouveaux amis, le merle s'installa pour l'hiver.
Quand le vent du Nord arriva, le chêne, le bouleau et le saule essayèrent de résister mais, après quelques bourrasques, toutes leurs branches se retrouvèrent nues. Puis le vent du Nord s'approcha du sapin, du pin et du genévrier.
« Épargne-les, ordonna soudain le Roi de l'Hiver. Ces trois arbres ont eu pitié d'un jeune merle blessé. Comme récompense, je veux qu'ils restent verts pour toujours !
- Je les laisserai en paix », promit le vent du Nord ému.

Le collier de perles d'Estella

Il était une fois une belle demoiselle qui vivait dans un grand château. Elle s'appelait Estella. Un soir, alors que la jeune fille pleurait à chaudes larmes au bord d'une rivière, elle entendit un rire rauque. Une vieille trollesse apparut devant elle, puis lui dit :

« Quelles merveilleuses larmes tu verses là ! C'est à cause du jeune roi qui ne t'invite jamais à danser, hein ? Tu es amoureuse de lui ! Si tu me donnes tes larmes, je les transformerai en perles et j'en ferai un collier que tu devras porter toute ta vie. Je te promets que ton roi ne regardera plus que toi !

- Je ferai tout ce que tu voudras ! s'écria la petite demoiselle, pleine d'espoir. Prends toutes mes larmes ! »

La trollesse commença à faire des signes étranges avec un morceau de charbon, tout en ramassant dans son tablier les larmes d'Estella. À la fin, elle en fit un beau collier de perles.

« Ainsi, tu ne pleureras plus jamais de ta vie ! dit la trollesse.

- Tant mieux ! » s'écria Estella ravie.

La magie de la trollesse s'accomplit : le roi tomba amoureux d'Estella et elle mit au monde un beau petit garçon. Mais peu après, le royaume connut de nombreuses catastrophes. Le roi était très soucieux, tandis que le rire d'Estella retentissait dans tout le château. Elle était incapable de verser la moindre larme, même quand leur fils tomba gravement malade.

« Va-t'en d'ici, hurla le roi, je ne supporte plus ton rire ! »

Désespérée, Estella courut vers les montagnes à la recherche de la trollesse.

« Si tu veux retrouver tes larmes, tu dois faire pleurer quelqu'un à cause de ton rire », ricana celle-ci.

Estella retourna au château en pleine nuit. Elle se faufila discrètement jusqu'à la chambre de son enfant et en le voyant si malade, elle éclata d'un rire nerveux. Le roi accourut effrayé. En découvrant sa femme ainsi amusée, il pleura. À cet instant, des larmes coulèrent à nouveau sur les joues d'Estella.

« Comme c'est bon de pouvoir pleurer ! » s'écria-t-elle soulagée.

Le jeune prince se réveilla guéri et, peu après, tout le royaume retrouva la prospérité d'avant.

Comment l'ours perdit sa queue

Autrefois, les ours du pôle Nord arboraient fièrement de belles queues, longues et touffues comme celles des renards. Un jour, un ours se baladait à côté d'un grand lac quand, soudain, il aperçut un renard en train de manger un énorme poisson.

« Où as-tu trouvé ça ? lui demanda l'ours en se léchant les babines.

- Dans le lac, lui répondit le renard, amusé par les questions de son grand ami, paresseux et un peu stupide. Tu peux en attraper aussi, c'est facile. Assieds-toi et laisse tomber ta queue dans l'eau. Quand tu sentiras qu'un poisson la mordille, sors-la vite de l'eau. »

Un sourire moqueur aux lèvres, le renard s'éloigna.

L’ours s’assit sur la neige et mit sa queue dans l’eau glaciale. En dépit du froid, il resta ainsi sans bouger pendant des heures, rêvant au gros poisson qu’il allait pouvoir déguster au dîner. Quand le Soleil se coucha, aucun poisson n’avait mordu sa queue. L’ours décida d’abandonner la pêche et de rentrer chez lui. Mais, au moment où il voulut partir, il ne put pas bouger… Il était coincé ! Le lac était complètement gelé et sa queue était prise dans la glace. L’ours grogna, gémit, tira aussi fort que possible. Enfin, après un ultime effort, il se libéra, laissant derrière lui sa belle queue bloquée dans la glace.
Depuis cette histoire, l’ours n’a plus qu’une petite queue. Le renard, quant à lui, a toujours une longue queue touffue et sourit dès qu’il croise un ours…

La légende du narval

Il était une fois un jeune garçon inuit qui vivait avec sa petite sœur Siqiniq et sa grand-mère, une femme méchante et cupide. Le garçon s'appelait Taqqiq et il était aveugle. Une nuit, depuis leur igloo, ils entendirent un grognement effroyable. Taqqiq reconnut aussitôt le bruit d'un ours. La vieille dame lui ordonna de tuer la bête avec son arc. Le jeune garçon tira une seule flèche, en suivant son instinct. Il réussit !

« Imbécile ! mentit la grand-mère qui voulait garder la viande et la peau de l'ours pour elle toute seule. Tu as juste tué notre meilleur chien de traîneau ! »

Taqqiq était aveugle mais pas stupide : il savait qu'elle se moquait de lui et décida de se venger. Un jour, il demanda à sa petite sœur de le guider jusqu'aux falaises.

« Quel dommage que tu ne puisses voir toute cette beauté, dit Siqiniq tristement.

- Je la sens ! répondit Taqqiq. Laisse-moi, je me débrouillerai pour rentrer. »

Resté seul, le jeune garçon appela un oiseau. C'était un plongeon arctique. Les aînés disaient qu'il avait des pouvoirs pour redonner la vue.

L'oiseau dit à Taqqiq de se jeter dans l'eau glacée et d'y ouvrir grand les yeux. Taqqiq obéit mais crut mourir de froid. Pourtant, ses yeux aperçurent bientôt une petite lueur, puis il recouvra la vue pour de bon !
Taqqiq remercia l'oiseau de tout son cœur et rentra dans son village sans rien raconter à personne. Il faisait semblant d'être toujours aveugle. Un matin, sa grand-mère cria :
« Dépêche-toi, fainéant ! Les bélugas sont arrivés. Essaie d'attraper au moins un petit ! »
Au bord de l'océan, la vieille femme enroula la corde avec le harpon autour de ses hanches, puis ordonna à Taqqiq de tirer dans la direction d'un petit béluga. Mais Taqqiq visa un énorme mâle. L'animal se mit à nager si vite que la grand-mère n'eut pas le temps de se dégager de la corde. Elle fut alors entraînée par l'animal loin dans l'océan.
« Tu as voulu garder la viande de l'ours pour toi toute seule, garde aussi celle-là ! » cria Taqqiq.
Il vit les longs cheveux blancs de la vieille femme se torsader et se figer en formant une longue défense d'ivoire. Et c'est ainsi que la méchante grand-mère se transforma en narval.

Les trolls et le gros chat

Il fut un temps où les trolls et les humains s'entendaient à merveille. Ou presque. Tous les ans, la veille de Noël, à l'heure du repas, les trolls choisissaient une maison au hasard et chassaient ses habitants afin de déguster les délicieux mets du réveillon à leur place.
Une année, un homme accompagné d'un ours frappa à la porte d'une des maisons.
Hospitalière, la famille l'accueillit à bras ouverts et lui offrit de partager le repas du réveillon de Noël avec eux.
« Si les trolls arrivent, ils nous chasseront de la maison, l'avertit le chef de famille.
- Les trolls ne me font pas peur », lui assura l'homme d'un ton tranquille.
Il s'installa à la table et l'ours se coucha devant la cheminée.

Le repas venait à peine de débuter quand, tout d'un coup, des bruits retentirent. Les trolls pénétrèrent en force dans la maison en renversant tout sur leur passage. Ils bousculèrent les habitants et prirent leur place à la grande table.

« Comme ce chat est gros ! » s'exclama soudain un troll en apercevant l'ours, toujours couché devant la cheminée. Et il caressa la fourrure de l'animal.

L'ours se leva brusquement en grognant et chassa tous les trolls de la maison.

L'année suivante, les trolls devinrent plus prudents :

« Vous avez toujours le gros chat ? demandèrent-ils quand ils revinrent dans la même maison.

- Oui... et sept petits chatons en prime ! rétorqua le chef de famille.

- Alors nous préférons dîner chez nous ! » répondirent les trolls en s'éloignant aussitôt.

L'anneau

Il était une fois un jeune prince qui vivait dans un château au bord de la mer. Un jour, alors qu'il se promenait le long de la plage, il trouva dans le sable un étrange anneau. Il était très fin et joliment ciselé, orné de petites pierres bleues dont le dessin formait des myosotis. Le soir même, il rassembla sa cour en demandant si l'une des demoiselles de compagnie n'avait pas perdu une bague. Mais toutes les dames regardèrent l'anneau avec dédain. À la nuit tombée, dans sa chambre, le prince entendit un bruissement. Il provenait de la petite bague qui sautillait comme si elle voulait lui montrer quelque chose. Ni une ni deux, le jeune prince se mit en route. Il galopa longtemps avant d'arriver devant un magnifique château où une dame vêtue de velours rouge l'accueillit. Elle essaya l'anneau mais il était bien trop petit pour elle. Plus tard, le prince croisa une vieille femme habillée en noir qui cherchait quelque chose parmi les cailloux du chemin. Elle avait perdu une bague, en effet, mais la sienne portait un diamant.

Toujours guidé par l'anneau magique, le prince traversa une rivière tumultueuse puis gravit un chemin escarpé vers une haute montagne cachée dans des brumes bleues. Soudain, il aperçut une source qui jaillissait d'une roche en formant un bassin d'eau cristalline. Et juste à côté, il vit une très jolie jeune fille avec de longues tresses dorées.

« Où avez-vous trouvé mon anneau ? demanda-t-elle. C'est un cadeau de ma mère. Elle m'avait dit de le jeter dans l'eau si un malheur m'arrivait et quelqu'un viendrait m'aider.
- Ton anneau m'a trouvé, dit le prince. Mais qui es-tu, belle inconnue, et que fais-tu ici ?
- J'étais une princesse mais un méchant troll m'a enlevée et il me fait travailler comme une esclave.
- Fuyons vite d'ici avant que le troll ne nous voie », dit le prince en prenant la jeune fille par la main.

Ils dévalèrent la montagne jusqu'au cheval du prince, traversèrent la rivière, puis chevauchèrent plusieurs jours avant d'arriver au château. Les deux jeunes gens tombèrent amoureux et leurs noces furent mémorables.

La naissance des oiseaux

Il y a fort longtemps, il n'y avait pas d'oiseaux et très peu d'animaux sur Terre. Les forêts étaient silencieuses : seul le vent soufflait dans les branches des arbres. Pour jouer, les enfants n'avaient que des feuilles et encore, pendant seulement six Lunes. À la septième Lune, l'hiver arrivait et, avec lui, Ours Blanc qui soufflait le froid sur les arbres et aussi Loup Hurleur qui les dépouillait de leur feuillage. Après leur passage, les enfants restaient tristes pendant plusieurs Soleils. Ils ne voulaient plus manger leur bouillie de maïs et ne savaient plus comment s'amuser. Les cailloux et les petits bâtons n'étaient pas ce qu'ils préféraient. Ils ne pouvaient pas les lancer pour les voir s'envoler dans les airs. Encore plus embêtant, lorsque les enfants sortaient de la hutte, ils ne voyaient aucune jolie bête dont ils pouvaient prendre le nom. Car c'est ainsi que les Indiens nomment leurs petits : chacun prend le nom de l'animal qu'il découvre en sortant pour la toute première fois de sa hutte.

Un jour, pendant qu'elle regardait tomber les feuilles, une petite fille s'adressa à Glouseclappe le grand esprit. Elle lui dit :

« Toi qui as fait la terre, l'eau et les petits feux qui brillent là-haut, fais quelque chose pour que les enfants rient à nouveau et mangent leur bouillie de maïs. »

Glouseclappe l'entendit. Le mois des fleurs venu, après que Vent du Sud eut défait le travail d'Ours Blanc, il ramassa les feuilles tombées et souffla dessus. Des oiseaux de toutes les couleurs s'envolèrent et se posèrent sur les arbres en chantant. La petite fille cria avec joie :

« Désormais, je vais m'appeler Mésange Dorée ! »

Et elle mangea sa bouillie avec entrain.

La princesse enfermée dans la montagne bleue

Il était une fois une reine et un roi qui rêvaient d'avoir un enfant. Un jour, le roi offrit quelques pièces d'or à une vieille femme misérablement vêtue. Elle lui prédit alors que la reine donnerait bientôt naissance à une fille. Seulement, la princesse ne devrait pas sortir du château avant d'avoir seize ans. Sinon, elle serait emportée par un gros flocon de neige et perdue à tout jamais !

L'arrivée de la petite princesse fut le jour le plus heureux pour la reine et le roi. Aussitôt, celui-ci ordonna de fermer toutes les portes du château. Les années passèrent et la princesse devint une merveilleuse jeune fille. La seule chose qui la chagrinait, c'était de ne pas pouvoir découvrir le monde. La veille de son seizième anniversaire, alors que ses parents partirent en calèche, la princesse décida de sortir du château coûte que coûte. La journée s'annonçait splendide et aucun nuage ne cachait le ciel.

« Laissez-moi sortir, ordonna-t-elle aux gardes. Il ne va tout de même pas neiger aujourd'hui ! »

Pour la première fois, la princesse put courir dans le jardin et ramasser des fleurs. Mais, soudain, un immense flocon de neige l'emporta et la princesse disparut. Accablés de chagrin, le roi et la reine promirent la main de leur fille et la moitié du royaume à celui qui la retrouverait. Mais personne n'y parvint.

Un jour, un jeune soldat rencontra un lutin qui déclara :

« La princesse est enfermée chez les trolls. Descends jusqu'au cœur de la montagne bleue, mais sois très prudent ! »

Tout se passa comme le lutin l'avait prédit. Le soldat pénétra dans un monde effrayant et, après de longues heures d'errance, il ouvrit une petite porte qui donnait sur une pièce toute en or.
« Sauve-toi ! s'écria la princesse. Un troll à trois têtes va bientôt rentrer.
- Comment le vaincre ? demanda le soldat.
- Il y a une épée magique dans l'antichambre, dit la princesse. Cache-toi vite ! J'entends le troll approcher. Je vais essayer de l'endormir. »
Le troll entra avec fracas. Il posa ses trois têtes sur les oreillers, puis s'endormit bercé par la princesse. Sans attendre, le soldat trancha les têtes du troll, en trois coups assurés. Il attrapa la main de la princesse, puis ils coururent sans se retourner. De retour au château, le roi et la reine organisèrent un grand festin pour fêter les fiançailles de la princesse et du valeureux soldat.

L'oiseau Souffleur-de-vent

Il était une fois une tribu amérindienne qui comptait de nombreux pêcheurs. Tous vivaient paisiblement jusqu'au jour où la mer devint si houleuse qu'il ne fut plus possible d'attraper de poissons. Un vent terrible soufflait jour et nuit. Après plusieurs semaines de tempête, les gens commencèrent à avoir faim. Alors un vieux père de famille dit à son fils Tiaho d'aller voir s'il n'y avait pas de poissons morts sur les rochers. Parvenu au bout de la rive, Tiaho comprit d'où venait la tempête. Un grand oiseau agitait bruyamment ses ailes, donnant ainsi naissance aux vents violents. C'était Souffleur-de-vent. Avec courage, Tiaho décida de déjouer ce faiseur de tempêtes. Il lui dit alors :

« Comme tu dois être fatigué et transi de froid. Monte sur mon dos, je vais te mettre à l'abri. »

À sa grande surprise, l'oiseau accepta. Tiaho le prit sur son dos mais il trébucha volontairement. Il glissa sur les cailloux avec l'oiseau qui se brisa une aile.
« Souffleur-de-vent, dit Tiaho, tu dois éviter de remuer tes ailes jusqu'à ce que ton os brisé soit guéri. Reste caché dans les rochers, je viendrai t'apporter à manger. »
Tiaho retourna au village et la mer devint plus calme que jamais. Le vent avait complètement disparu. Aussitôt, les pêcheurs sautèrent dans leurs canots et attrapèrent plein de poissons. Mais, après plusieurs semaines sans la moindre brise, la mer se couvrit d'une écume blanchâtre et malodorante. Les poissons étaient malades car ils ne pouvaient pas supporter cette mer sans mouvement. Alors Tiaho courut vers les rochers. Il examina l'aile de l'oiseau et dit :
« Ton aile est guérie. Mais, comme elle est toujours fragile, tu dois la bouger très doucement. »
L'oiseau déploya ses deux puissantes ailes et aussitôt la mer endormie s'éveilla et se rida de vagues légères. En quelques heures, une brise chassa l'écume blanchâtre et, peu de temps après, les pêcheurs reprirent leurs canots. Grâce à Tiaho, l'ordre revint dans la nature.

Les trolls et le benjamin des lutins

Il était une fois une petite ferme à l'orée d'un bois où des lutins vivaient paisiblement. C'étaient des créatures serviables et gentilles, hautes de vingt-cinq centimètres à peine, qui appartenaient à un clan très ancien. Le benjamin des lutins s'appelait Tjovik Torgusson et il était âgé d'une centaine d'années tout au plus. D'autres créatures habitaient dans les forêts, au pied des pentes escarpées du massif de Fulufjället. Âgé de quatre mille ans, Jompa était le roi des trolls de la montagne. Il y semait la terreur avec Skimpa, sa femme. Les trolls étaient géants et puissants mais aussi très bêtes et ils détestaient les lutins par-dessus tout. Un soir, dans la grange de la petite ferme, le plus vieux des lutins raconta une très ancienne légende :

« La veille de Noël, les portes de la montagne Fulufjället s'ouvrent. Cette nuit-là, les trolls sortent tout leur trésor pour le compter. Ils sont si absorbés qu'ils ne voient et n'entendent rien. Mais gare à celui qui serait là au moment où les cloches sonnent la messe du matin. Les trolls n'en feraient qu'une bouchée ! »

Le jeune Tjovik Torgusson n'entendit pas le dernier conseil du sage. Il décida de chiper un petit bijou aux trolls pour l'offrir à Anna Lisa qu'il épouserait bientôt.

La veille de Noël, le lutin prit son baluchon, puis s'éclipsa de la grange. Au bout d'une marche longue et périlleuse, Tjovik vit l'entrée de la montagne, puis une immense caverne où les deux terribles trolls faisaient tinter d'innombrables bijoux et pièces d'or. Le lutin s'y faufila discrètement. Il remarqua un puits avec l'eau de source qui descendait dans la roche et une grosse louche en bois suspendue au-dessus. Il marcha sur la pointe des pieds vers le coffre à trésor. Aveuglés par l'éclat de l'or, les trolls ne s'aperçurent de rien. Mais, soudain, Jompa éternua si fort que le lutin, assommé par le bruit, tomba dans le coffre.
À cet instant précis, les cloches retentirent. Jompa et Skimpa fermèrent le coffre avec fracas, en emprisonnant Tjovik à l'intérieur. Mais le lutin était malin : il se mit à couiner comme une souris.
« Il y a un rat dans le coffre, dit Skimpa. Il va y faire des trous ! »
Les trolls rouvrirent le trésor et, à ce moment-là, le lutin bondit, puis courut à perdre haleine vers le puits. Il décrocha la louche en bois, sauta dedans et s'élança dans le puits, devant les trolls tout abasourdis. Dans sa fuite, Tjovik perdit le bracelet mais réussit à rentrer sain et sauf à la ferme.